An chéad chló 2010

An dara cló 2013

An tríú cló 2016

ISBN 978-0-9565016-0-8

© Éabhlóid 2016

Foilsithe ag Éabhlóid

Gaoth Dobhair

Tír Chonaill

eabhloid.com

Arna chur i gcló in Éirinn ag Johnswood Press

*Buíochas le Suzanne Ní Ghallchóir, PJ Joe Jeaic Ó Curráin,
Diane Ní Chanainn, Mícheál Ó Dónaill, Marina Nic Giolla Bhríde, Éamonn Mac Niallais,
Marie Ní Chearúil, Caitlín Joe Jeaic Ní Dhuibhir, Tadhg Mac Dhonnagáin, Darach Ó Scolaí,
Angela McLaughlin agus Antoin Mac Aodha.*

 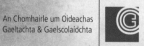  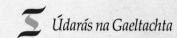

Ící Pící

Ceol nuachumtha do pháistí

Leabhar & Ceol

Cumadóireacht Cheoil

Doimnic Mac Giolla Bhríde

Focail

Nellie Nic Giolla Bhríde

Eoghan Mac Giolla Bhríde

Ealaíon

Dara McGee

Dearadh & Clóghrafaíocht

Sinéad Ní Chadhain

Ceoltóirí

Clodagh Ní Ghallchóir

Ailbhe Ní Ghallchóir

Cathal Ó Curráin

Ceallach Ní Chanainn

Diane Ní Chanainn

Suzanne Ní Ghallchóir

Nellie Nic Giolla Bhríde

Doimnic Mac Giolla Bhríde

Robbie Miller

Melanie Houton

Clár

CÓISIR CHEOIL

Gabháil síos an gleann domh arú inné,
Chuala mé **ceol** ag teacht ón fhéar.
Caidé a chonaic mé nuair a chrom mé síos,
Ach **cóisir cheoil** sa fhraoch.

Bhí ciaróg dhubh 's é ag séideadh **fliúit'**,
Snáthad chogaidh ag seinm **píob**,
Bhí **bocsa ceoil** ag péist chapaill,
Is **fideal** ag an fhéileacán.

Bhí **fideog** bheag ag dubhán alla,
Is céadchosach ag séideadh **trumpa**.

Bhí bóín Dé ag piocadh **bainseó**,
Is bumbán ag bualadh **bodhráin**.

Sheas criocard suas a dhéanamh **damhsa**
Le bróga tairní ar a chosa,

Cheol míoltóg bheag chomh binn le héan
'S chuir sé an dubhán alla a chodladh.

Bhuail sneangán beag an **druma mór**
Agus mhúscail sé an dubhán alla.
Chuir sé an ruaig orthu uilig go léir
Is scaip siad fríd an fhraoch.

3

Ag scairtí

Dorchadas ins an spéir,
Sneachta ag titim ar an fhéar,
Gaotha fuara geimhridh
Ag scairtí, scairtí.

Ceo dubh ar na cnoic go léir,
Siocán fuar ins an aer,
Géacha fiáine brónacha
Ag scairtí, scairtí.

4

Nach againn atá an chuideachta,
Ag déanamh an fear sneachta,
Páistí ar na sleamhnáin
Ag scairtí, scairtí.

Istigh sa teach tá seandaoine
'Na suí cois na tine;
Gaoth mhór ins an tsimléar
Ag scairtí, scairtí.

Tráthnóna ag teacht anois go tiubh,
An talamh bán is an spéir go dubh,
Mamaí ag an fhuinneog romham
Ag scairtí, scairtí.

Róbat R-3-3

MISE RÓBAT R·3·3,

Thig liom siúl is thig liom rith,

Freagróidh mé duit ceist ar bith,

Thig liom cuntas suas go fiche.

Mise róbat R·3·3,

I mo cheann tá ríomhairí,

Faoi mo chosa, rothaí buí,

In mo bholg, ceallraí.

SOILSE DEARGA MO DHÁ SHÚIL,

Cnaipí glasa ar mo chúl,

Is maith liom litriú A·B·C,

Obair baile? Fadhb ar bith!

Chan fhacthas riamh róbat mar mé,

Ocras orm i rith an lae,

Ar maidin agus ag am tae,

Boltaí agus ola te.

ag bualadh bos

Muid uilig ag bualadh bos,
Muid uilig ag tógáil cos,
Muid ag déanamh fead de ghlaic,
Muid uilig ag geaibíneacht.

Buail do ghlúine 1, 2, 3,
Buail do bholg mór buí,
Léim suas, ansin suigh síos,
Seasaigh suas go hard arís.

Sín amach do dhá lámh,
Anois lig ort go bhfuil tú ' snámh.
Amharc ar dheis, ansin ar chlé,
Tóg do shúile go dtí an spéir.

Tiontaigh thart is thart arís,
Cuir síos do dhá lámh le do thaobh,
Lámha suas is lúb do ghlúin,
Suígí síos anois go ciúin.

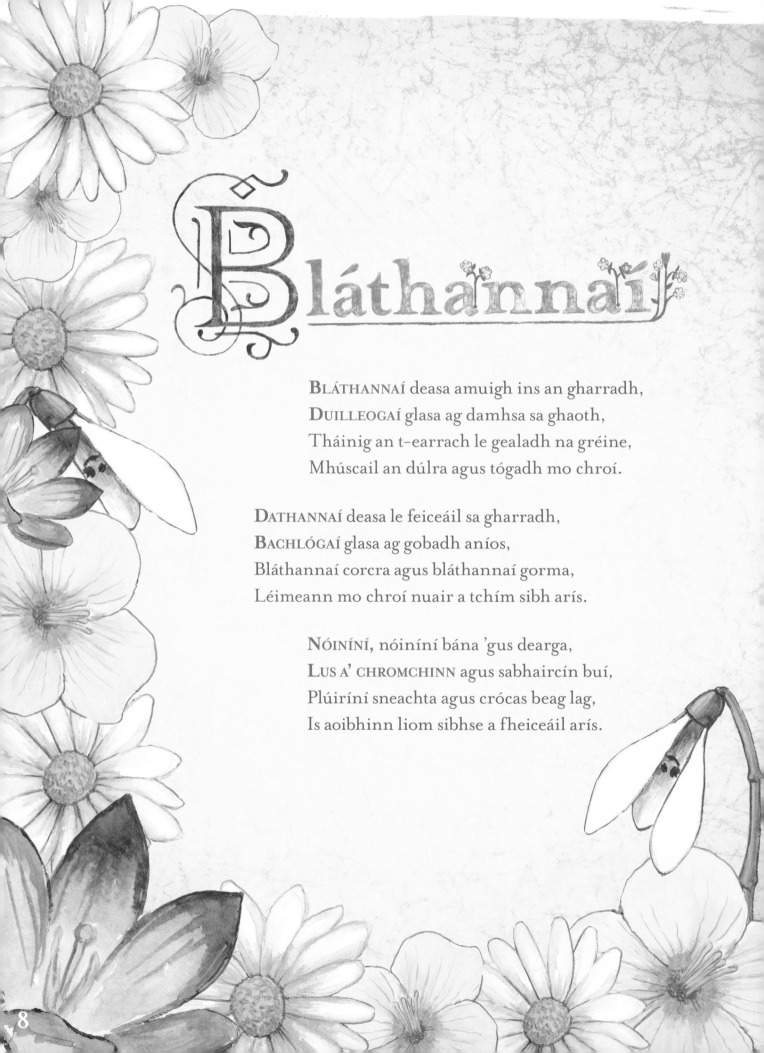

Bláthannaí

BLÁTHANNAÍ deasa amuigh ins an gharradh,
DUILLEOGAÍ glasa ag damhsa sa ghaoth,
Tháinig an t-earrach le gealadh na gréine,
Mhúscail an dúlra agus tógadh mo chroí.

DATHANNAÍ deasa le feiceáil sa gharradh,
BACHLÓGAÍ glasa ag gobadh aníos,
Bláthannaí corcra agus bláthannaí gorma,
Léimeann mo chroí nuair a tchím sibh arís.

NÓINÍNÍ, nóiníní bána 'gus dearga,
LUS A' CHROMCHINN agus sabhaircín buí,
Plúiríní sneachta agus crócas beag lag,
Is aoibhinn liom sibhse a fheiceáil arís.

An Teidí Tinn

A mhamaí, tá mo theidí tinn,
  Mo theidí tinn, mo theidí tinn,
A mhamaí, tá mo theidí tinn
  Is pian mhór ina bholg.

Cuir scairt bheag ar an dochtúir Seán,
  An dochtúir Seán, an dochtúir Seán,
Cuir scairt bheag ar an dochtúir Seán
  Is tiocfaidh sé go gasta.

Tháinig dochtúir Seán 'na rith isteach,
  'Na rith isteach, 'na rith isteach,
Tháinig dochtúir Seán 'na rith isteach,
  Is mála dubh ina lámh leis.

D'amharc sé ar an teidí tinn,
  An teidí tinn, an teidí tinn,
D'amharc sé ar an teidí tinn,
  Is thoisigh sé ag gáirí.

'Tá ocras air,' arsa dochtúir Seán,
  An dochtúir Seán, an dochtúir Seán,
'Tabhair brachán, ubh is arán dó,
  Is beidh sé sona sásta.'

MO BHÁBÓG

Bhí bábóg agam,
Bábóg dheas,
Le gruaig fhada,
Is ribín glas.

Bhí sí 'damhsa,
Is bhí sí ag ceol,
Buidéal aici,
Is í ag ól.

Madadh dolba
Ina luí san fhéar,
Chaith sé 'n bhábóg
Suas san aer.

Madadh dolba
Rith sé ar shiúl,
Mo bhábóg bhocht,
Bhí deor lena súil.

Bábóg shalach
Caite síos,
Ghlan mo mhamaí
Suas í aríst.

An rud is fearr

Is maith liom **cáca**, is maith liom **tae**,
D'íosfainn **brioscaí** i rith an **lae**.
Is maith liom **fíonchaor** is **oráistí**,
Úlla glas, is **banana buí**.

Is maith liom taifí **milis** donn,
Uachtar reoite 's **seacláid** ann,
Is maith liom **cnónna** faoi mo chár,

Ach lollipop an rud is fearr.

An Puisín Dolba

A phuisín bhig, cá raibh tú inniu?
Tá'n fionnadh salach cáidheach dubh.
Isteach san uisce leat go gasta,
Is ná bí 'do phuisín dolba feasta!

Mí amh, mí amh,
Mí amh, mí amh,
Mí amh, mí amh,
Mí amh, mí amh.

Mí amh, mí amh,
Mí amh, mí amh,
Mí amh, mí amh,
Mí amh, mí amh.

Ná bí 'do rith isteach faoin stól,
Gheobhaidh tusa folcadh te go fóill.
Ná bí 'do ní le do theangaidh féin,
A phuisín amaideach gan chéill.

Ní bhfuair tú luchóg bheag ariamh,
I gcónaí 'sceamhlaigh mí amh, mí amh.
Níl tú ábalta ceol ná damhsa,
A phuisín bhig, is tú 'tá falsa!

Mí amh, mí amh,
Mí amh, mí amh,
Mí amh, mí amh,
Mí amh, mí amh.

Tomhais cé a bhí ann?

Nuair a d'éirigh mé ar maidin

Is d'amharc
mé amach,

Bhí fear **mór** bán ina sheasadh ann
Ag amharc orm isteach.

Tomhais cé a bhí ann,

Tomhais cé a bhí ann.

Amuigh ansin sa gharradh

Ina sheasamh
ar an fhéar,

Hata agus stoc air
Agus píopa ina bhéal.

Tomhais cé a bhí ann,

Tomhais cé a bhí ann.

Char labhair sé, is char bhog sé,

Is char chas
sé a shúil,

Cha raibh sé ann **tráthnóna**,
Bhí'n fear mór bán ar shiúl.

Tomhais cé a bhí ann,

Tomhais cé a bhí ann.

maidin inniu

Léim amach as an leabaidh sin,
A úna bheag, a úna bheag,
Léim amach, nó beidh tú mall,
Dúirt mamaí liom ar maidin.

Léim mé as mo leabaidh bheag,
mo leabaidh bheag, mo leabaidh bheag,
Grian dheas gheal ag soilsiú isteach,
maidin aoibhinn shamhraidh.

Thoisigh mé ag ní m'aghaidhe,

Ag ní m'aghaidhe, ag ní m'aghaidhe,

Thoisigh mé ag ní m'aghaidhe,

Le huisce is le sópa.

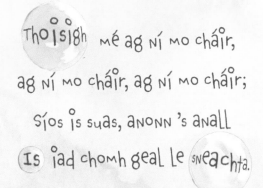

Thoisigh mé ag ní mo cháir,

ag ní mo cháir, ag ní mo cháir;

síos is suas, anonn 's anall

Is iad chomh geal le sneachta.

D'ith mé babhal brácháin the,

Arán agus ubh mhór gé.

D'ól mé siar cupa tae,

Is bhí mé lán go béal.

Chrom mé síos a cheangal m'iall,

A cheangal m'iall, a cheangal m'iall,

Snaidhm ansin agus lúb anseo,

Is rith mé síos 'na scoile.

AN LITIR IS FEARR LIOM

Is fearr liom féin an litir
Ná litir ar bith eile;

Madadh, máistreás, marla, mamaí,
Máire, milseáin, moncaí.

Is fearr liom féin an litir
Ná litir ar bith eile;

Daidí, dinnéar, dráma, damhsa,
Daoine, draíocht, druma.

Is fearr liom féin an litir
Ná litir ar bith eile;

Bainne, bascáid, buicéad, bádaí,
Bréagáin, blátha, brioscaí.

BAINNE

Eitleán

Mise eitleán gasta,

Ag gabháil ^{suas} ins an spéir,

M'eiteogaí spréite,

Anois tá mé réidh.

||||||||||||||||||||||||||||

Suas, suas
            liom in airde

Chomh héadrom le héan.

Anois tá mé ag gluaiseacht

Níos gaiste ná traein.

||||||||||||||||||||||||||||

Suas, suas
            ins na néalta,

Fhad suas leis an ghrian.

Tá an radharc ann is deise

Dá bhfaca tú ariamh.

||||||||||||||||||||||||||||

Anois tá mé i bhfolach

Ar chúl néal bog bán,

Slán libh, a pháistí,

Is na caoirigh sa pháirc.

||||||||||||||||||||||||||||

BRIAN BEO

Brian beo Brian marbh
Má fhaigheann Brian beo bás
Beidh an tsrathair ort.

Brian beo,
    Brian marbh,
        Má fhaigheann
    Brian beo bás,
        Beidh an
            tsrathair ort.

Cuir Daidí sa mhála

Cuir Daidí sa mhála bhabh babh,
bhabh babh,
Cuir Daidí sa mhála bhabh babh,
bhabh babh,
Cuir Daidí sa mhála bhabh babh,
bhabh babh,

Is tóg leat 'na bhaile é.

Cuir ____ sa mhála bhabh babh,
bhabh babh,
Cuir ____ sa mhála bhabh babh,
bhabh babh,
Cuir ____ sa mhála bhabh babh,
bhabh babh,

Is tóg leat 'na bhaile í/é.

AN TRAEIN

Muidinne an traein,
ag imeacht linn féin,
Traein **mór** *fada*,
ag gabháil le sodar.

Tiú-tiú, tiú-tiú,
    tiú-tiú, tiú-tiú,
Tiú-tiú, tiú-tiú,
    tiú-tiú, tiú-tiú,

Tiú, tiú-tiú, tiú-tiú,
    tiú-tiú, tiú.

Mise ag tiomáint,
tá mé ag **imeacht**,
Uilig ar bord ann,
tarraing an corda.
TIÚ-TIÚ...

Muidinne ag gáirí,
dul síos ar na ráillí,
Síos ar an líne,
séidigí an fhídeog.
TIÚ-TIÚ...

22

Tá seo go **hiontach**,
traein ag tiontú,
Isteach sa tollán,
crom do cheann ann.
TIÚ-TIÚ...

Isteach faoin áirse,
coimhéad an barr sin,
Amach arís linn
ar an taobh sin.
TIÚ-TIÚ...

Ar ais 'na bhaile;
éist, clog na scoile.
Tá'n turas thart,
chuaigh gach rud ceart.
TIÚ-TIÚ...

Sábháilte

Féileacán beag gorm ag eitilt thuas sa spéir,
Spideog bheag dhearg ag eitilt ina dhiaidh.

Hí hó hiombá hó,
Hóra nan a chéile.

'Fuist, fuist, fuist,' arsa an féileacán,

'Ní bhfuair an spideog mé.'

Luchóg dhána dhonn ag rith anonn 's anall,
Cat mór bán ina chodladh thiar faoin stól.

Hí hó hiombá hó,
Hóra nan a chéile.

'Íc, íc, íc,' arsa an luchóg bheag,

'Tá mise beo go fóill.'

Sicín beag buí a d'imigh leis ar strae,
Madadh rua gránna i bhfolach ins an fhéar.

Hí hó hiombá hó,
Hóra nan a chéile.

'Diuc, diuc, diuc,' arsa an sicín beag,

'Shábháil feirmeoir mé.'

25

Cór na
n-ainmhithe

Mise coileán, **bhuf, bhuf, bhuf,**
Nuair a chluinim t**Seo! tSeo!** rithim.
Mise puisín, **mí-amh, mí-amh,**
Nuair a chluinim **Scuit! Scuit!** crithim.

Mise gamhain, **mú, mú, mú,**
Nuair a chluinim **Súg! Súg!** ithim.
Mise muc bheag, **oinc, oinc, oinc,**
Nuair a chluinim **Deoch! Deoch!** tagaim.

Mise searrach, **bhuí-hí, hí.**
Nuair a chluinim **Hup! Hup!** léimim.
Mise cearc bhán, **gug ác, gug ác,**
Nuair a chluinim **Diúc! Diúc!** piocaim.

SNEACHTA

Ó, goitsigí amach,
tá sneachta go tiubh.
Achan áit bán, beidh spórt ann inniu.
Tá sneachta 'na luí, go trom ar an tsráid,
Tá sneachta ar na tithe, tá sneachta i ngach áit.

Bratógaí sneachta ag eitilt san aer,
Ag leádh ar mo theangaidh, chomh bog le clúmh éin.
Tá spideog bheag rua, 'na seasamh ar bhalla,
Níl cuiteog le fáil, tá sneacht' ar an talamh.

Faigh an carr sleamhnáin, beidh spórt agus spraoi,
Ag sleamhnú síos malaidh is muid ag imeacht le gaoth.
Tá pian agus eanglach i mbarr mo chuid méar,
Is cuma faoin fhuacht, tá sneachta ar an fhéar.

An Capall Maide

Capall maide, mo chapaillín buí;
Níl maith ins an mharcach gan capall maith faoi.
Suigh ins an diallait, beir greim ar an srian,
Foscail an doras, amach linn sa ghrian.

Ní capall mall mo chapaillín deas,
Ach capall rás le lúth na gcos.
Seo linn go gasta thar an chlaí,
Ag imeacht ar sodar mar shíobán sí.

Bhuail mé an capall, ar shiúl linn ar luas;
D'éirigh an capall agus thit mé anuas.
D'fhoghlaim mé ceacht nuair a bhuail mé an talamh;
Ní deacair capall umhal a sporadh.

Suas ar mo chapall,
ar shiúl linn arís,
Amach fríd na cuibhrinn,
chomh saor leis a' ghaoth.
Beidh muid 'na bhaile in am don tae,
Mair, a chapaill, agus gheobhaidh tú féar.

Dónall na Gealaí

D'amharc mise suas ar an ghealach aréir,
Bhí **Dónall na Gealaí** le feiceáil sa spéir.
D'amharc sé anuas agus *chaoch* sé a shúil,
Ansin rinne sé gáire beag magúil liom.

Dónall na Gealaí, cá mbíonn tú sa lá?
Bím seal *úr* agus bím seal **lán**;
Coicís ag **líonadh** agus coicís ag *trá*,
Sé sin mar a bhím is mar a bheas mé go bráth.

Tchímse **Dónall na Gealaí** ina shuí
Thuas ins an spéir lena aghaidh **MHÓR** bhuí.
Cosa geala **bána** ag crochadh sa ghaoth,
Tchínn **Dónall** mise agus mé 'gabháil a *luí*.

An t-Éan

Bhí an t-éan ins an ubh
Bhí an ubh ins an nead,
Bhí an nead ar an chraobh,
Bhí an chraobh ar an chrann,
Bhí an crann ag fás sa ghleann,

Fadó, fadó, nuair a bhí mé óg.

Ící Pící

Ící Pící taobh
amuigh den chlaí,

Ící Pící taobh
istigh den chlaí,

Má bhaineann
tusa d'Ící Pící,

Bainfidh
Ící Pící duit.

33

Suantraí don bhabaí

Codlaigh, mo bhabaí
Codlaigh, mo bhabaí
Codlaigh mo bhabaí,
Suaimhneach, sochmaidh.

Curfá:

Hí bá, hó bá,
Hí bá, babaí,
Hí bá, hó bá,
Codlaigh mo bhabaí.

Druid do chuid súl,
Druid do chuid súl,
Druid do chuid súl,
Anois tá an oíche ag teacht.

Curfá.

Sonas is séan ort,
Tusa mo ghrá geal,
Tógann tú cian dom,
'Chuid den tsaol mhór.

Curfá.

Tá aingle ar taobh leat,
Éist leo ag ceol duit,
Siansaí an chláirsí,
Suantraí don bhabaí.

Curfá.

English
Translations
& notes

1 Cóisir cheoil – Page 2
Musical party

Teagascann an t-amhrán seo fuaimeanna uirlisí ceoil do pháistí.

With this song children can learn the sounds of different musical instruments.

As I went down the glen
the day before yesterday,
I heard music coming from the grass.
What did I see when I bent down,
But a music session in the heather.

There was a black beetle blowing a flute,
A daddy-long-legs playing on pipes,
A caterpillar had a melodeon
And a butterfly had a fiddle.

A spider had a little whistle
And a centipede boinged a jaw's harp.
A ladybird was plucking a banjo
And a bumble bee was banging on a bodhrán.

A grasshopper stood up to dance
With hobnail boots on his feet.
A little midge sang as sweet as a bird
And lulled the spider to sleep.

A little ant beat a big drum
And the spider woke from his slumber.
He sent them all on their way
And they scattered through the heather.

2 Ag scairtí - Page 4
Calling

Darkness in the skies,
snow falling on the grass,
Cold winter winds; calling, calling.

A dark mist on all the hills,
a cold frost in the air,
The forlorn wild geese; calling, calling.

Aren't we having fun,
making the snowman,
Children on sledges; calling, calling.

The old people are indoors,
sitting by the fireside,
The stormy wind in the chimney;
calling, calling.

Evening gathers in fast,
the ground is white and the sky is black,
Mammy at the window before me;
calling, calling.

3 Róbat R-3-3 – Page 6
Robot R-3-3

Thig le páistí a gcuid damhsa róbataiceach a chleachtú leis an amhrán seo!

Children can practise their robotic dancing to this song!

I am Robot R-3-3,
I can walk and I can run.
I can answer all your questions,
I can count to twenty.

I am Robot R-3-3,
I have computers in my head,
Beneath my feet I've yellow wheels,
In my belly: batteries.

Red lights are my two eyes,
I've green buttons on my back,
I like to spell, A-B-C.
Homework? No problem at all!

A robot like me, you've never seen;
I'm hungry all day long.
At morning and at teatime;
It's bolts and hot oil for me.

4 Ag bualadh bos - Page 7
Clapping hands

Seo gníomhamhrán do ghrúpa páistí le gníomhaíocht a dhéanamh sa rang nó sa bhaile.

This is an action song suitable for groups of children in class or at home.

Everyone clapping hands.
Everyone raising a foot.
Everyone whistling.
Everyone chattering.

Slap your knees 1, 2, 3.
Slap your big yellow belly.
Jump up and then sit down.
Stand up high again.

Stretch out both your arms.
Now pretend you're swimming.
Look right and then left.
Look up to the sky.

Turn around and around again.
Put both your arms by your side.
Arms up and bend your knee.
Sit down now very quietly.

5 Bláthannaí - Page 8
Flowers

Pretty flowers in the garden,
Green leaves dancing on the wind.
Spring came with the brightening sun,
Nature awoke and it lifted my heart.

Beautiful colours to be seen in the garden,
Green buds poking up.
Purple flowers and blue flowers;
My heart leaps when I see you again.

Daisies, daisies, white and red,
Daffodils and yellow primroses.
Snowdrops and delicate little crocuses;
I'm so pleased to see you again.

6 An teidí tinn – Page 9
The sick teddy

Mammy, my teddy's sick,
My teddy's sick, my teddy's sick.
Mammy, my teddy's sick,
With a big pain in his stomach.

Give Doctor Seán a little call,
Doctor Seán, Doctor Seán.
Give Doctor Seán a little call,
And he'll come by quickly.

Doctor Seán came running in,
Running in, running in.
Doctor Seán came running in,
With a black bag in his hand.

He examined the sick teddy,
The sick teddy, the sick teddy.
He examined the sick teddy,
And he began to laugh.

'He's hungry,' said Doctor Seán,
Doctor Seán, Doctor Seán.
'Give him porridge, egg and bread,
And he'll be quite content.'

7 Mo bhábóg - Page 10
My doll

I had a doll, a lovely doll
With long hair and a green ribbon.

She danced and she sang,
And she drank from a bottle.

Bold dog, lying in the grass,
He threw the doll up in the air.

Bold dog, he ran away,
My poor doll had a tear in her eye.

Filthy doll, thrown down,
My mammy cleaned her up again.

8 An rud is fearr — Page 12
What I prefer

I like cake, I like tea,
I'd eat biscuits all day long
I like a grape and oranges,
A green apple and a yellow banana.

I like sweet brown toffee,
Ice cream with chocolate,
I like nuts between my teeth,
But a lollipop is what I prefer.

9 Puisín dolba – Page 13
The bold kitten

Little kitten where were you today?
That fur is black and filthy with dirt.
In the water with you quick as can be,
And don't be a bold kitten anymore.

Don't be running in under the stool,
You'll get a warm bath yet.
Don't be washing yourself with your tongue,
Silly kitten with no sense.

You never caught a mouse,
Always squealing meow, meow.
You can't sing or dance,
My little kitten you're such a slouch.

10 Tomhais cé a bhí ann - Page 14
Guess who it was

When I rose in the morning
And looked outside,
There was a big white man standing there
Looking in at me.
Guess who it was.
Guess who it was.

Out there in the garden
Standing in the grass,
Wearing a hat and a scarf
And a pipe in his mouth.
Guess who it was.
Guess who it was.

He didn't speak and he didn't move
And he didn't turn his eyes.
He wasn't there in the evening,
The big white man had gone.
Guess who it was.
Guess who it was.

11 Maidin inniu - Page 16
This morning

Seo amhrán atá fóirstineach mar ghníomhamhrán ranga.

This song is suitable as an action song for children in the classroom.

Jump out of that bed,
Little Úna, Little Úna.
Jump out or you'll be late,
My mammy said this morning.

I leapt out of my little bed,
My little bed, my little bed.
Nice bright sun shining in,
On a beautiful summer morning.

I began to wash my face,
Wash my face, wash my face.
I began to wash my face
With water and with soap.

I began to brush my teeth,
Brush my teeth, brush my teeth.
Down and up, back and forth,
And they were as white as snow.

I ate a bowl of warm porridge,
Bread and a big goose egg.
I drank up a cup of tea
And was full up to the brim.

I bent down to tie my lace,
To tie my lace, to tie my lace.
A knot there, a loop here,
And I ran off down to school.

12 An Litir is fearr liom – Page 18
My favourite letter

I prefer the letter M to any other letter;
Dog, teacher, plasticine, mammy,
Máire, sweets, monkey.

I prefer the letter D to any other letter;
Daddy, dinner, drama, dance,
People, magic, drum.

I prefer the letter B to any other letter;
Milk, basket, bucket, boats,
Toys, flowers, biscuits.

13 Eitleán - Page 19
Aeroplane

Gníomhamhrán fóirstineach don seomra ranga.

This action song is suitable for the classroom.

I am a fast plane, flying up in the air.
My wings are spread, now I'm all set.

Up, up, high I go, as light as a bird.
Now I'm going faster than a train.

Up, up, into the clouds, as far up as the sun.
It has the nicest view that you've ever seen.

Now, I am hiding, behind a soft white cloud.
Goodbye children, and all the sheep in the fields.

14 Brian Beo – Page 20
Live Brian

Seo ramás traidisiúnta a bhíos ag páistí i gclós na scoile le duine a roghnú don imirt.

This is a traditional playground rhyme for choosing who's turn it is in games, like 'Eenie-meenie-miney-moe'.

Live Brian, dead Brian, if live Brian dies,
You will bear the yoke. (It'll be your turn.)

15 Cuir Daidí sa mhála – Page 21
Put Daddy in the sack

Seo amhrán a cheol ár máthair mhór dúinn is muid inár bpáistí. Bhain muid oiread sult as gurbh éigin é a chur sa chnuasach ina cuimhne.

This is a song our grandmother often sang to us when we were children. She sang it in such a merry way that it dispersed all fear of any bogeyman! Whoever is in the company is usually put into the sack, if the child allows.

Put Daddy in the sack bogeyman, bogeyman,
Put Daddy in the sack bogeyman, bogeyman,
Put Daddy in the sack bogeyman, bogeyman,
And take him off home with you.

16   An traein – Page 22
The train

Gníomhamhrán do ghrúpa páistí lena dtig leo traein a dhéanamh thart ar an seomra.

This is an action song where children can form a train and march through the room.

We are the train, off we go on our own,
A big long train, chugging along.
Chu, chu…

I'm the driver, ready to depart.
All aboard, pull the cord.

Everyone laughing, along on the rails.
Down the line, blow the whistle.

This is wonderful, the train is turning
Into the tunnel, duck your head.

Under the arch, mind that roof.
Out again on the other side.

Back home, there's the school bell.
The journey's over, everything went well.

17   Sábháilte - Page 24
Safe

A little blue butterfly flying in the air,
A little red robin chasing it through the air.
Hee ho…
'Hark, hark, hark,' said the butterfly,
'The robin didn't get me.'

A brazen brown mouse running back and forth,
A big white cat sleeping beneath a stool.
Hee ho…
'Eek, eek, eek,' said the little mouse,
'I'm still alive.'

A yellow chick that went astray,
Nasty fox hiding in the grass.
Hee ho…
'Cluck, cluck, cluck,' said the little chick,
'A farmer saved me.'

18   Cór na n-ainmhithe – Page 26
The animal's choir

I'm a puppy, woof, woof, woof,
When I hear shoo, shoo! I run.
I'm a kitten, meow, meow,
When I hear scat, scat! I tremble.

I'm a calf, moo, moo, moo,
When I hear suck, suck! I eat.
I'm a little pig, oink, oink, oink,
When I hear tock, tock! I come running.

I'm a foal, wee hee, hee,
When I hear hup, hup! I jump.
I'm a white hen, guckac, guckac,
When I hear chook, chook! I peck.

19   Sneachta - Page 28
Snow

Oh, come on out, the snow is so thick,
The whole place is white, we'll have fun today.
The snow is lying so heavy on the street,
There's snow on the houses,
There's snow all around.

Snowflakes flying in the air,
Melting on my tongue, as soft as bird's down.
A little red robin is standing on a wall;
There's not a worm to be found,
With so much snow on the ground.

Get the sledge, we'll have fun and games,
Sliding down hills, away with the wind.
There's pain and numbness on my fingertips,
Who cares about the cold,
When there's snow on the grass.

20   An capall maide - Page 29
The hobby horse

A hobby horse, that's my yellow horse;
What use is a jockey without a good horse?
Sit in the saddle, get hold of the reins.
Open the door, out we go into the sun.

My nice horse is not a slow horse,
But a race horse that's fleet of foot.
Here we go fast, over the fence,
Off with a trot, like a fairy wind.

I lashed the horse, off we go at high speed;
The horse rose up and I came off.
I learned a lesson when I hit the ground,
An eager horse is easily spurred.

Up on my horse, off we go again,
Out through the fields, as free as the wind.
We'll be home in time for tea,
Live horse, and you'll get your fill of grass.
(Be patient and you'll get your reward.)

21   Dónall na Gealaí – Page 30
Dónall of the Moon

Dónall na Gealaí is traditionally the name given to the man in the moon.

I looked up at the moon last night
Dónall of the Moon could be seen in the sky,
He looked down and winked his eye,
Then he gave a playful little laugh.

Dónall of the Moon, where do you be by day?
'I'm a while new and I'm a while full;
A fortnight waxing and a fortnight waning,
That's how I am and how I'll always be.'

I see Dónall of the Moon sitting
Up in the sky with his big yellow face
Bright white legs hanging on the wind
Dónall sees me when I go to bed.

22   An t-éan – Page 32
The bird

Seo casfhocal traidisiúnta le do theangaidh a chasadh.

This is a traditional tongue twister,
made a little more difficult here for fun.

The bird was in the egg,
The egg was in the nest,
The nest was on the branch,
The branch was on the tree,
The tree was in the glen,
Long ago, when I was young.

23   Ící Pící - Page 33

Seo ramás traidisiúnta a mhúineann do pháistí fá chúlfáith.

This is a traditional rhyme to warn children of nettles.
Ící Pící is the child's name for nettles.

Ící Pící behind the wall,
Ící Pící in front of the wall,
If you meddle with Ící Pící,
Ící Pící will meddle with you.

24   Suantraí don bhabaí – Page 34
A baby's lullaby

Sleep, my baby. Sleep, my baby.
Sleep, my baby; all quiet and at peace.

Close your eyes. Close your eyes.
Close your eyes; now night is falling.

I wish you joy and fortune, you are my heart's delight,
You take away my worries, you are my share of the wide world.

You've angels by your side, hear them sing for you,
Musical strains on the harp, a baby's lullaby.

Ceoltóirí:

Clodagh Ní Ghallchóir

Cóisir cheoil, Ag scairtí, Ag bualadh bos, An teidí tinn, Mo bhábóg,
An rud is fearr, An puisín dolba, Tomhais cé a bhí ann, Maidin inniu,
An litir is fearr liom, Eitleán, Brian Beo, Cuir Daidí sa mhála,
An traein, Cór na n-ainmhithe, An t-éan.

Ailbhe Ní Ghallchóir

Ag scairtí, Ag bualadh bos, An teidí tinn, Tomhais cé a bhí ann,
An litir is fearr liom, Cuir Daidí sa mhála, An traein.

Cathal Ó Curráin

Ag bualadh bos, Tomhais cé a bhí ann,
Sábháilte, Sneachta, An capall maide.

Suzanne Ní Ghallchóir

An teidí tinn, Cuir Daidí sa mhála.

Doimnic Mac Giolla Bhríde

Dónall na Gealaí, Ící Pící.

Ceallach Ní Chanainn

Ag scairtí, Bláthannaí.

Diane Ní Chanainn

Dónall na Gealaí, Ící Pící.

Nellie Nic Giolla Bhríde

Suantraí don bhabaí.

An Róbat R-3-3

Róbat R-3-3.

Melanie Houton

Fideal.

Robbie Miller

Bainseó.

Gach amhrán cumtha ag **Doimnic Mac Giolla Bhríde**

Nellie Nic Giolla Bhríde a chum na focail, ach amháin:
Cóisir cheoil, Róbat R-3-3, An capall maide & Dónall na Gealaí
a chum **Eoghan Mac Giolla Bhríde** agus na rannta traidisiúnta:
Brian Beo, An t-éan, Ící Pící & Cuir Daidí sa mhála.

Ceol Ící Pící

Taifeadadh, meascadh, léiriú:
Doimnic Mac Giolla Bhríde

Máistriú:
Bobby Boughton

Fuaimeanna beo:
Éamon Little
Guillaume Beauron

Taifeadtha i Stiúideo MG

Amhránaithe:
Clodagh Ní Ghallchóir
Ailbhe Ní Ghallchóir
Cathal Ó Curráin
Ceallach Ní Chanainn
Diane Ní Chanainn
Suzanne Ní Ghallchóir
Nellie Nic Giolla Bhríde
Doimnic Mac Giolla Bhríde

Ceoltóirí
Doimnic Mac Giolla Bhríde
Robbie Miller
Melanie Houton

© **Doimnic Mac Giolla Bhríde**

Leabhar Ící Pící

Foilsitheoir:
Éabhlóid

Scríbhneoirí:
Nellie Nic Giolla Bhríde
Eoghan Mac Giolla Bhríde

Ealaíon: Dara McGee

Dearadh: Sinéad Ní Chadhain

Eagarthóir: Eoghan Mac Giolla Bhríde

Comhairleoir Ealaíona: Seán Cathal Ó Coileáin

Clódóirí: Johnswood Press Ltd

© **Éabhlóid ISBN:** 978-0-9565016-0-8